Ebenfalls von Simon Schwarz im avant-verlag erschienen:

Geschichtsbilder – Comics und Graphic Novels (ISBN: 978-3-945034-91-0)
Packeis (ISBN: 978-3-939080-52-7)
IKON (ISBN: 978-3-945034-79-8)
Vita Obscura (ISBN: 978-3-939080-94-7)
Vita Obscura – Life Bizarre (ISBN: 978-3-96445-081-4)
Das Parlament – 45 Leben für die Demokratie (ISBN: 978-3-96445-006-7)

drüben!
Text & Zeichnungen: Simon Schwartz
ISBN: 978-3-939080-37-4
Erweiterte 11. Auflage, 2023
© avant-verlag GmbH, 2009
Herausgeber: Johann Ulrich

Der Autor dankt:
Johanna Creutzburg, Meltem Dogan, Anke Feuchtenberger, Sascha Hommer,
Bernd Mölck-Tassel, Yirmi Pinkus, Anne Reinhold, Therese Schreiber,
Johann Ulrich und ganz besonders seinen Eltern und Großeltern.

avant-verlag GmbH | Weichselplatz 3-4 | 12045 Berlin
info@avant-verlag.de

Mehr Informationen und kostenlose Lesproben finden Sie online:
www.avant-verlag.de
facebook.com/avant-verlag
instagram.com/avant_verlag

Simon Schwartz

drüben!

avant-verlag

Für meine Eltern

Mit dem Messer der Gegenwart versucht
man immer vergeblich, die Vergangenheit
anzuschneiden. Die Vergangenheit ist
unverwundbar. Man kann dabei nur die
Gegenwart oder die Zukunft
zum Bluten bringen.

Gregor Brand

Drei Jahre nachdem mein Vater mit mir und meiner Mutter die DDR verlassen hatte, schrieb er seinen Eltern einen Brief.

Die lebten weiterhin in der DDR.

Wir wohnten in West-Berlin. Seit unserer Ausreise hatte mein Vater seine Eltern weder gesehen noch gesprochen.

Ich war damals vier Jahre alt und ging in einen Kreuzberger Kindergarten.

Es war der Frühling des Jahres 1987 und wir wohnten in einer schönen Altbauwohnung nur wenige Schritte von der Mauer entfernt.

Mein Vater schrieb von unserem neuen Leben.

Einige Tage später kam der Brief wieder zurück. Es lag eine kurze handschriftliche Notiz bei.

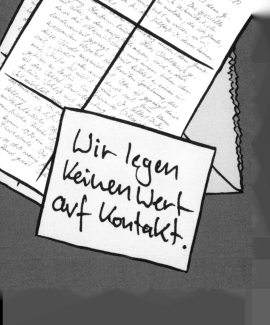

Als wir 1984 in West-Berlin eintrafen, hatten wir kein Geld und keine Wohnung.
Nur die Dinge, die wir in unseren Koffern und am Körper trugen.

West-Berlin war ein Kontrast. Man sah sofort, dass wir aus dem Osten kamen. Das lag an unserer Kleidung, Sprache und erkennbaren Unsicherheit.

Die Leute begegneten uns aber durchweg freundlich und positiv.

Als der Mann fort war, hielt mein Vater seinen ersten 20-DM-Schein in der Hand.

Wir wohnten zunächst bei Freunden meiner Eltern aus deren Studienzeit.

Die beiden waren schon vor über einem Jahr ausgereist und neben ihnen teilten wir die Wohnung mit drei weiteren Familien. Alle Bewohner waren aus der DDR "abgehauen".

"Abgehauen" - ich habe diese Bezeichnung nie gemocht. Sie wurde in der DDR abwertend für Ausgereiste benutzt. Als würde man sich vor etwas drücken oder sich einer Verantwortung entziehen.

Meine Eltern lernten sich 1974 in Erfurt kennen.

Sie studierten beide Pädagogik für Kunst und Mathematik.

Mein Vater stammte aus einer sozialistischen Musterfamilie. Wie seine Eltern war er Mitglied der SED. Sein Vater war Betriebsleiter einer Druckerei und auch seine Mutter war überzeugte Anhängerin der DDR.

Meine Großmutter war schon vor dem Krieg als Jugendliche durch ihre Eltern kommunistisch motiviert. Wie ihr Vater wurde sie Mitglied der KPD.

Dort lernte sie nach dem Krieg auch meinen Großvater kennen.

Er kam aus einer jüdischstämmigen Familie. Die Nazis hatten viele seiner Familienmitglieder in die Vernichtungslager deportiert. Er selbst konnte untertauchen und entging so seiner Verhaftung.

Die Schrecken der Diktatur und des Krieges hatten sie stark geprägt. Mit dem Wunsch "Nie wieder Krieg, nie wieder Uniformen" bauten sie begeistert den neuen Staat mit auf.

Mein Vater liebte seine Eltern und übernahm selbstverständlich deren Sicht auf die Welt.

Beeile dich, du kommst sonst noch zu spät.

Ja, mach ich.

Meine Mutter hingegen wuchs unter anderen Bedingungen auf. Ihre Eltern lehnten die DDR nicht grundlegend ab, aber sie hatten viele Westkontakte.

Ihr Onkel war vor dem Mauerbau in den Westen geflohen und ihre Eltern hatten vor ihrer Geburt überlegt, ihm zu folgen.

Regelmäßig besuchte sie ihr gleichaltriger Westcousin und erzählte von seinem Leben.

Meine Mutter war von dem Teenager-wunsch erfüllt, diese ihr verbotene, fremde Welt zu sehen und vielleicht eines Tages Mick Jagger zu heiraten.

Auch wenn eine "Bravo" aus dem Westen sehr verheißungsvoll schien, so zweifelte sie noch nicht am "Sieg des Sozialismus".

Die Rolling Stones kannte mein Vater auch, aber er hörte sie nicht. Da er keinen Westkontakt hatte, besaß er keine ihrer Schallplatten.

In der Oberschule war er in der FDJ aktiv und er merkte, dass seine Mitschüler ihm gegenüber in manchen Punkten reserviert blieben.

Der hat von seiner Tante aus'm Westen eine Platte von Jimi Hendrix. Die wollen wir uns alle überspielen.

Ey, kommst du nach der Schule auch mit zu Frank?

Jürgen und Karl kommen auch.

Hey, was macht ihr denn so nachher noch?

Wir haben Besuch.

Äh, Hausaufgaben.

Meine Mutter ging mit ihren Freundinnen auf fast jeden Tanz, der in ihrer Nähe um Dresden herum stattfand.

Auch als wir schon im Westen lebten, besuchte ich dort noch regelmäßig meine Großeltern.

Meine Mutter brachte mich dafür immer zum Grenzübergang am Bahnhof Friedrichstraße.

Meist begleitete mich eine Arbeits-
kollegin meiner Mutter über die Grenze.

Im Gegensatz zu meinen Eltern durfte
ich wieder in die **DDR** einreisen.

Aber da war immer diese Sorge, dass
man mich nicht wieder zurücklassen
würde.

Es ging dann sofort weiter nach Dresden.

Der Urlaub bei meinen Großeltern war jedes Mal großartig. Alle freuten sich, mich zu sehen.

Wir fuhren mit dem Elbdampfer, ...

... gingen in die Sächsische Schweiz und sahen Winnetou auf der Felsenbühne Rathen ...

... oder besuchten die Dinosaurier in Kleinwelka.

Unterschiede zum Leben in West-Berlin fielen mir als Kind kaum auf.

Du Oma, bist du sicher, dass das hier ein Gemüseladen ist?

Die Zeit verging immer wie im Flug. Heimweh hatte ich nie.

Die Eltern meines Vaters in Zwickau besuchte ich als Kind hingegen nie.

Erstaunlicherweise schien es für mich lange Zeit völlig normal zu sein, nur ein Paar Großeltern zu haben, die ich auch noch selten sah und selbst dann nur unter Schwierigkeiten.

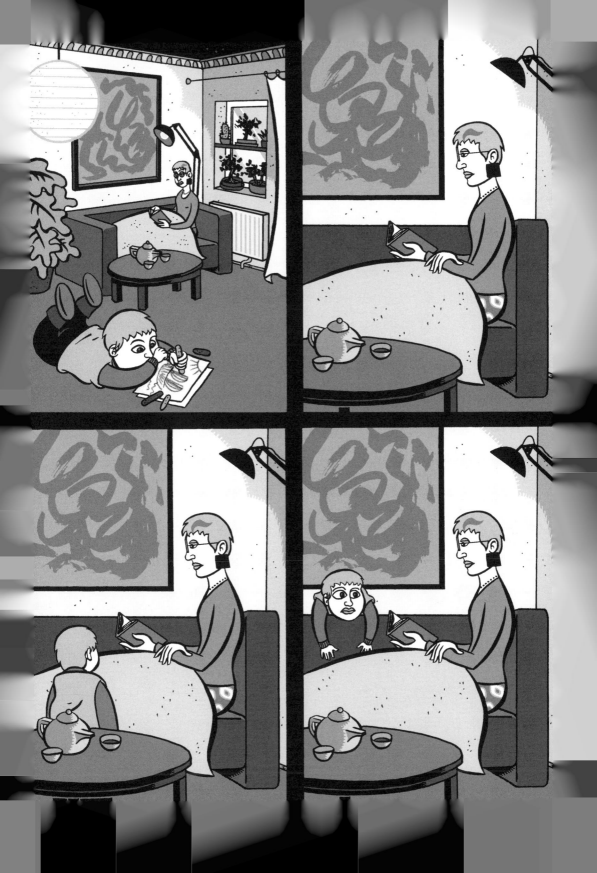

Meine Mutter malte mir eine Karte und zeichnete alle Leute ein, die wir kannten und wo sie lebten.

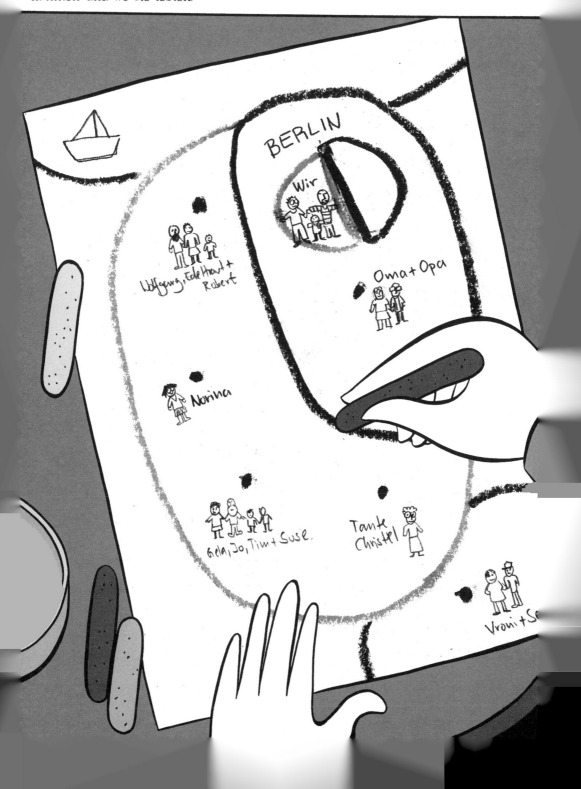

Mir wurde dadurch früh klar, dass nicht alle so frei reisen konnten, wie ich es gewohnt war.

Und warum haben alle im Kindergarten zwei Omas und Opas und nur ich nicht?

Im Gegensatz zu meiner Mutter begann mein Vater
sein Studium eher unwillig.

Er hatte eigentlich freie Kunst
studieren wollen, war aber aufgrund
eines Lehrermangels in der **DDR** dazu
überredet worden, Mathematik- und
Kunstlehrer zu werden.

Allerdings sagte ihm damals keiner,
dass man in der **DDR** kaum zweimal
studieren durfte.

Sieh mal, da ist doch auch
etwas Malen mit dabei und
danach kannst du immer
noch Kunst studieren.

Die Seminargruppe, der meine Eltern angehörten, wuchs schnell
zu einer eingeschworenen Gemeinschaft zusammen.

Ihre Studienzeit erlebten meine Eltern fast unbeschwert.

Und der Widerspruch zwischen propagandistischen Worthülsen und der Realität wurde ihnen mehr und mehr bewusst.

Hey, ihr habt doch von dem Typen aus der anderen Seminargruppe gehört, den sie exmatrikuliert haben.

Meinst du den, der in der Studentenzeitung ein paar Verbesserungsvorschläge zum Sozialismus gemacht hat?

Der ist doch in der Partei, oder?

Ja! Und seine Freundin hat für ihn Unterschriften gesammelt und die an Margot Honecker geschickt. Jetzt haben sie das Mädel und alle, die unterschrieben haben, rausgeschmissen.

Und auch mein Vater geriet mehr und mehr in Zweifel.

Aber die Freundin ist doch auch in der Partei. Und hatte die FDJ nicht sogar dazu aufgerufen, über Verbesserungen nachzudenken. Das verstehe ich nicht.

Mein Vater fühlte sich in der Welt seiner Eltern mehr und mehr verunsichert. Mit Anfang zwanzig hatte er sich noch nicht so recht von ihnen abgenabelt.

Eine Verbindung der beiden Welten, in denen er lebte, schien unmöglich.

Direkt nach dem Studium übernahm mein Vater eine 9. Klasse an einer polytechnischen Oberschule.

So, und denkt bitte daran, eure Eltern zu erinnern, dass morgen der Elternabend stattfindet.

Riiinngg

Ey Michi, du Spasti! Mach' mal Platz! He, he.

Aua!

Hallo! Gut, dass Sie da sind!

Bei Ihnen ist eingebrochen worden. Ihre Frau sitzt oben und ist ganz aufgelöst.

Seine Freundin machte sich erst gar keine Sorgen. Er war ja manchmal einfach so ein paar Tage weg.

Aber warum?

Gestern hat dann die Staatssicherheit ihre ganze Wohnung auf den Kopf gestellt. Da hat sie's erfahren.

Er hat einen Ausreiseantrag gestellt und angegeben, dass sich seine Schwester im Westen auch darum bemühen wird. Das hat man ihm als illegale Kontaktaufnahme mit westlichen Behörden ausgelegt.

Wir müssen euch noch etwas sagen.

Wir haben auch einen Antrag auf Ausreise gestellt.

Erst mit der Ausreise zahlreicher DDR-Prominenz, als Reaktion auf die Ausbürgerung des Liedermachers Wolf Biermann, wurde auch der breiten Masse zunehmend bewusst, dass rein rechtlich die Möglichkeit zum Auswandern aus der DDR existierte.

Ermöglicht wurde dies durch den 1975 in Helsinki geschlossenen KSZE-Vertrag.

b. Fed.
Allemagne

Re
Aller

Hier hatte sich neben allen Unterzeichnerstaaten auch die DDR zur Reisefreiheit verpflichtet. Natürlich nur auf dem Papier.

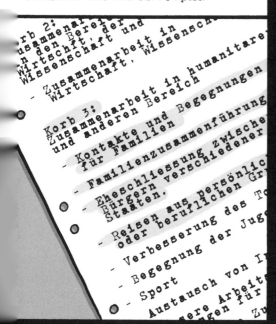

Wie schon erwähnt, hatte mein Vater mittlerweile einen Lehrauftrag an der Erfurter Hochschule bekommen.

Genosse Schwartz, kann ich Sie bitte einmal sprechen.

Selbstverständlich.

Wie Sie sicher wissen, fährt das 4. Semester nächste Woche in die Militärlager. Im Rahmen des Programms für jene Studenten, die nicht teilnehmen, werden Sie eine Vorlesung halten.

Ihr Thema ist "Der gerechte und der ungerechte Krieg". Dienstag um 11 Uhr im Audimax.

Kurz zuvor war die Sowjetunion in Afghanistan einmarschiert.

Mein Vater schrieb nächtelang an dieser Rede.

Gott, wie kann man nur einen Krieg als gerecht bezeichnen? Die wollen doch nur, dass ich in schönen Worten diesen Einmarsch rechtfertige.

Schreib irgendetwas, das du noch halbwegs vor dir selbst verant- worten kannst.

Ich weiß nicht, ob ich das kann.

Noch am selben Tag stellten meine Eltern einen Antrag auf ständige Ausreise aus der DDR.

Sie begründeten ihn mit dem Wunsch einer Familienzusammenführung mit der Westverwandtschaft meiner Mutter.

Wenige Tage später wurde mein Vater in das große Auditorium der Hochschule vorgeladen.

Vor allen Lehrkräften und Parteioberen der Hochschule warf man ihn aus der Partei und dem Hochschuldienst.

Das ganze Verfahren dauerte mehrere Stunden.

Mein Vater sprach kein Wort.

In der Folge wechselten ehemalige Schüler meines Vaters die Straßenseite, wenn sie ihn sahen.

Komm, wir gehen lieber da rüber. Sonst denkt man noch, wir haben mit ihm was zu tun.

Meine Eltern trafen sich mit den Eltern meines Vaters,
um ihnen von ihrer Entscheidung zu berichten.

Was genau an diesem Tag passierte,
ist für mich heute nur schwer
nachzuvollziehen bzw. zu erzählen.

Für meine Großeltern muss es ein
Schock gewesen sein. Das Undenkbare.
Sie erkannten ihren eigenen Sohn
nicht wieder.

Mein Vater hatte seine Gedanken und seine Unzufriedenheit bisher immer von ihnen ferngehalten. Sei es aus Unsicherheit oder aus Wissen um ihr Unverständnis.

Kurze Zeit später machten meine Großeltern deutlich, dass sie jede Diskussion und jeden Kontakt als beendet betrachteten, solange mein Vater den Antrag nicht zurückzog.

Für mich war es jahrelang völlig unbegreiflich, wie man sein eigenes Kind verstoßen konnte, doch das ist natürlich nur die halbe Wahrheit.

Meine Großeltern müssen sich von ihrem Sohn genauso verstoßen gefühlt haben. Sie erkannten nicht, dass die Entscheidung meiner Eltern nicht gegen sie, sondern gegen das System gerichtet war.

Aber erneut war mein Vater nicht in der Lage, sich zu erklären. Er mauerte.

Vermutlich wurde von beiden Seiten schon immer zu wenig miteinander geredet.

Anschließend fuhren meine Eltern
weiter zu den Eltern meiner Mutter.

Für sie war es keine allzu
große Überraschung.

> Wir können euch
> verstehen. Wenn wir
> jünger wären, würden wir
> uns vermutlich genauso
> entscheiden.

Sie weinten den ganzen Abend.

Was die Eltern meines Vaters
taten, weiß ich leider nicht.

Kurze Zeit später wurde ich geboren.

Die Eltern meines Vaters schickten uns einen Brief und ein Päckchen.

Das Päckchen enthielt ein Märchenbuch und eine recht unverbindliche Widmung für mich.

Der Brief war für meine Eltern und beinhaltete
Verbitterung und viele Vorwürfe.

Ich selbst lernte die Eltern meines Vaters erst 1990 nach dem
Fall der Mauer kennen. Wir besuchten sie in Zwickau.

Für meine Eltern war es das erste
Wiedersehen, seit sie ihnen neun
Jahre zuvor von ihren
Ausreiseplänen berichtet hatten.

Normalerweise hörten wir auf der
Autobahn immer Musik oder
sangen. Diesmal nicht.

Man kann nicht sagen, dass ich sonderlich erpicht darauf war, meine "neuen" Großeltern kennen zu lernen. Ich hatte eher das Gefühl, mit der ganzen Sache nichts zu tun zu haben.

Ich habe keine Ahnung, was meinen Eltern durch den Kopf ging, aber ich fühlte mich sehr fremd.

Hallo Oma und Opa.

Warum ich als Erster das Wort ergriff, weiß ich nicht mehr. Vielleicht erkannte ich unterbewusst, dass es meine Aufgabe war, das Eis zu brechen.

Es gab Kaffee und Kuchen.

Ich bekam viele schwere
Bücher geschenkt.

Es wurde nur zögerlich geredet.

Das meiste, worüber gesprochen
wurde, verstand ich nicht.

Ich fühlte mich einfach nur
unglaublich fehl am Platz.

Anschließend fuhren wir direkt zu den Eltern meiner Mutter.

Am nächsten Morgen kroch ich zu meiner Oma ins Bett.

Na, erzähl mal, wie war es denn nun bei deinen anderen Großeltern?

Komisch.

Ach, das geht vorbei und dann ist es für dich wie mit Opa und mir.

Nein, das glaube ich nicht.

Drei Jahre sollten wir auf die Bewilligung unserer Ausreise warten, denn im Gegensatz zu anderen Landkreisen herrschte in den Erfurter Behörden noch stalinistische Eiszeit.

Meine Mutter arbeitete mittlerweile für die liberal gesonnene Kirche als Restauratorin.

Derweil war mein Vater als Hausmann mit mir und unserer Wohnung beschäftigt. Aufgrund des Ausreiseantrags war es ihm kaum möglich, Arbeit zu bekommen.

Tatsächlich versuchten meine Eltern, sich so unauffällig wie möglich zu verhalten, da man offensichtlich nach Gründen suchte, ihnen einen Strick zu drehen. Selbst eine ungelöste Fahrkarte hätte genügt.

Entschuldigung, kann ich Sie mal kurz sprechen?

Die Staatssicherheit war heute bei mir. Sie haben mich über Sie befragt. Ich hab' denen gesagt, dass Sie sehr ruhige und freundliche Nachbarn sind.

Was haben Sie denn bloß angestellt?

Die Bedeutung von wahren und treuen Freunden in einem repressiven System kann man nicht hoch genug einschätzen.

Man unterstützte sich, konnte frei reden und auch Zweifel und Sorgen an der Richtigkeit seiner Entscheidung teilen.

Wir haben unseren Ausreiseantrag bewilligt bekommen. Morgen reisen wir nach West-Berlin aus!

Meine Eltern gehörten zu den ersten DDR-Bürgern, die einen Antrag auf ständige Ausreise stellten und viele ihrer Freunde waren auch Antragsteller.

Nach und nach verließen diese alle das Land. Nur wir durften weiterhin nicht ausreisen. Meine Eltern waren völlig isoliert.

Über die Jahre erfolgte eine permanente und teilweise sehr offensichtliche Bespitzelung und Schikanierung durch die Staatssicherheit.

Hehe.

Von weiteren geplanten Aktionen und sogar Verhaftungsplänen erfuhren meine Eltern erst bei der Einsicht ihrer Akten nach dem Mauerfall.

Aber das Wissen um solche Gefahren war ihnen auch damals nur zu bewusst.

Zwar lebten meine Eltern keinen offenen Protest, aber in ihrer Kleidung und Erscheinung zeigten sie sich eindeutig als Außenseiter des Systems.

Aus Geldmangel begannen sie mit dem Verkauf unseres Hausrates, darunter seltene Bücher, Grafiken und vieles mehr.

Einige Bilder meines Vaters wurden über einen befreundeten ausländischen Journalisten nach West-Berlin gebracht, denn die Ausfuhr eigener Kunst musste mit Unsummen bezahlt werden, da sie als Eigentum der DDR galt.

In den Jahren des Wartens rannte mein Vater jeden Morgen zum Briefkasten, in der Hoffnung die Ausreisebewilligung wäre vielleicht gekommen. Er wurde jedesmal aufs Neue enttäuscht.

Wir lebten nur noch aus Kisten.

Doch eines Tages.

Ihre Ausreise ist für heute festgelegt. Melden Sie sich um 12 Uhr im Rathaus bei der Abteilung Inneres.

Eine Woche zuvor hatten meine Eltern bereits einen Laufzettel für Behördengänge erhalten und abgearbeitet.

Hier sind ihre Ausbürgerungsurkunden und Identitätsbescheinigungen. Ihre ständige Ausreise in die BRD erfolgt heute um 17 Uhr direkt nach München, zwecks Familienzusammenführung mit ihrer dortigen Verwandtschaft.

Wir möchten aber nach West-Berlin ausreisen.

Wir packten, was wir tragen konnten, und fuhren mit dem Zug von Erfurt nach Ost-Berlin.

Ist hier noch Platz?

Niemand achtete darauf, dass der Soldat seinen Mantel über die Jacke meines Vaters hängte.

In ihr waren unsere Ausbürgerungs-urkunden und Identitäts-bescheinigungen - die einzigen Dokumente, die wir noch hatten.

Am 6. April 1984 betraten wir den Grenzübergang am Bahnhof Friedrichstraße, im Volksmund nur "Tränenpalast" genannt.

EINGANG
SEKTION A

Da seid ihr ja!

Willkommen in West-Berlin!

Wir haben für Simon schon ein Kinderbett gekauft.

Nicht weinen. Reiß dich zusammen. Die haben hier noch Kameras.

Ohhh.

Wir fuhren mit der U-Bahn durch die Nacht. Im Gegensatz zum Ostteil der Stadt war hier alles bunt und hell erleuchtet.

Wir lachten und feierten bis spät in die Nacht.

Verblüffend ist, dass ich trotz meines geringen Alters diesen Abend sehr wohl in Erinnerung habe.

Es ist meine erste bewusste Erinnerung.

Ende.

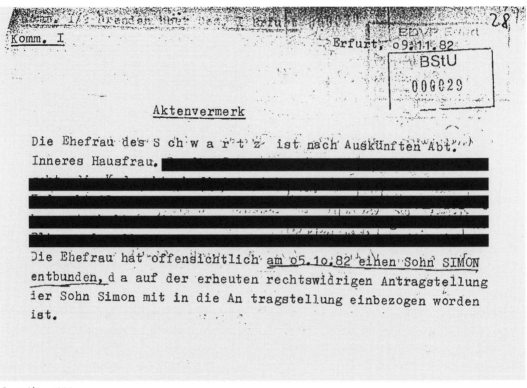

Komm. I

Erfurt, 09.11.82

BStU

000029

Aktenvermerk

Die Ehefrau des S c h w a r t z ist nach Auskünften Abt.
Inneres Hausfrau.

Die Ehefrau hat offensichtlich am 05.10.82 einen Sohn SIMON
entbunden, d a auf der erneuten rechtswidrigen Antragstellung
ier Sohn Simon mit in die An tragstellung einbezogen worden
ist.

Stasi-Akte, 1982

**Britta Keutgen und Felix Giesa führten im Juli 2010 ein Interview
mit Simon Schwartz für das COMIC!-Jahrbuch 2011.**

COMIC!: Dein Comic ist als Diplomarbeit an der HAW Hamburg entstanden. Welche Erfahrungen hast du mit Höhen und Tiefen, die ein solcher Schaffensprozess für gewöhnlich mit sich bringt, gemacht?

SIMON SCHWARTZ: Oh Gott, viele. Tatsächlich mehr Tiefen als Höhen. Ich habe mich quasi zwei Jahre lang in ständiger künstlerischer Selbstreflektion über dieses Familiendrama befunden. Das macht nicht unbedingt viel Spaß, ist aber meiner Meinung nach besser als jede Therapie.

COMIC!: War es denn gleich geplant, dass der Comic deine Diplomarbeit wird, oder hat sich das erst später ergeben?

SIMON SCHWARTZ: Es war klar, dass meine Diplom-

arbeit ein Comic wird. Das Thema fand sich erst später.

COMIC!: Wie hast du die Arbeit organisiert? Hast du dich zunächst mit Comictheorie beschäftigt und alles genau geplant oder hast du einfach nach Gefühl losgelegt?

SIMON SCHWARTZ: Ich bin kein großer Freund von der ganzen Theoretisierung und wissenschaftlichen Erforschung des Comics. Es nimmt mir den Zauber an der eigenen Arbeit. Man wird dann berechnend und überrascht sich nicht mehr selbst. Ferner finde ich, ist es nicht die Aufgabe des Künstlers, sich mit so etwas zu beschäftigen. Ich finde es auch langweilig. Ich bin kein Scott McCloud.

COMIC!: Musstest du dich denn im Rahmen

deines Studiums mit dieser ganzen Theorie-Ebene des Comics auseinandersetzen? Wie war da überhaupt der Einfluss auf deine künstlerische Arbeit?

SIMON SCHWARTZ: Das Studium in Hamburg ist sehr stark praxisorientiert. Eine große theoretische Auseinandersetzung fand kaum statt, aber das habe ich nicht als Manko empfunden. Einen sehr großen Einfluss auf mich (und bekanntlich ja auch auf viele andere junge Hamburger Comiczeichner) hatte der Unterricht bei Anke Feuchtenberger. Wenn man jetzt meine Arbeiten oder die anderer ehemaliger Studenten mit den ihren vergleicht, so wird man erstmal kaum Parallelen finden. Im Gegensatz zu vielen anderen Kunstprofessoren ist sie nicht daran interessiert, ihren Studenten ihren eigenen Stil anzutrainieren. Was sie einem jedoch beibringt und was mir viel geholfen hat, ist eine gewisse künstlerische Moral. Das klingt etwas hochgestochen, trifft es aber ganz gut. Es ist eine Ernsthaftigkeit in der Arbeit, die Fähigkeit, die eigenen und andere Denkmuster zu reflektieren und zu brechen und somit offen für neue Einflüsse zu sein. Das ist tatsächlich gar nicht so leicht, wie es sich sagt. Anke Feuchtenbergers Einfluss auf viele junge Comiczeichner ist nicht zu unterschätzen.

COMIC!: Wie bist du dann zu deinem sehr klaren Zeichenstil gelangt? Da muss es ja einen Einfluss über Anke Feuchtenberger hinaus geben.

SIMON SCHWARTZ: Ich glaube, meinen Zeichenstil hatte ich in vielen Punkten schon vor dem Studium gefunden. Er ist mit Sicherheit stark von Comics und Illustrationen der 1950er Jahre beeinflusst, aber auch von aktuellen amerikanischen Zeichnern wie Seth oder Chris Ware, und den Einfluss von Hannes Hegen sollte ich vermutlich auch nicht mehr länger leugnen.

COMIC!: Bei der Recherche hast du u. a. deine Eltern und Großeltern befragt. Wie genau muss man sich die ganze Situation

verworfene Zeichnung, 2009

vorstellen: Gesprächs- oder Interviewcharakter?

SIMON SCHWARTZ: Ich hatte zunächst meine Großeltern interviewt. Ich selbst habe eigentlich nur zugehört. Zu diesem Zeitpunkt hatte ich noch kein wirkliches Projekt in Planung. Es war pure Neugier, mehr über meine Familie und vorangegangene Generationen zu erfahren. Es ging in den Gesprächen auch nicht nur um die DDR. Einzig die Gespräche mit den Eltern meines Vaters waren schwierig. Sie können z. B. sehr offen über den Krieg und die Verfolgung im Holocaust reden, jedoch nicht über die DDR, geschweige denn über die Ausreise meiner Eltern. Mit meinen Eltern waren die Gespräche hingegen sehr unkompliziert. Aber insgesamt herrscht in meiner ganzen Familie eine große Offenheit gegenüber meiner Arbeit als Comiczeichner. Ich glaube jedoch, dass sie sich alle

verworfene Zeichnung, 2008

nicht wirklich vorstellen konnten, was ich da am Ende machen würde.

COMIC!: Du hattest ursprünglich geplant, die Geschichte deiner Familie in einem weitaus größeren Umfang zu erzählen, bevor du dich schließlich auf die Ausreise-Thematik festgelegt hast. Könntest du dir nun vorstellen, weiteres aus der Vergangenheit deiner Familie in Comicform festzuhalten?

Simon Schwartz: Im Moment nicht. Vielleicht später mal. Es gibt da tatsächlich einige ungewöhnliche Personen in meiner Familie, deren Biographien sicherlich sehr interessant sind, aber zurzeit habe ich nicht vor, wieder etwas Privates oder Familiäres zu machen.

COMIC!: Auf den letzten Seiten des Comics erzählst du von deiner „ersten bewussten Erinnerung": der Abend nach der Ausreise bei Freunden deiner Eltern in West-Berlin. Es gibt auch andere Szenen, bei denen man den Eindruck bekommt, du schöpftest hier aus deiner bewussten Erinnerung.

Wie viel konntest du insgesamt betrachtet wirklich noch aus deinem eigenen Gedächtnis zu der Geschichte beitragen?

Simon Schwartz: Erstaunlich viel. Das sind alles sehr prägende Momente. Speziell die Erfahrungen am Grenzübergang Bahnhof-Friedrichstraße. Der Bahnhof selbst war zweigeteilt in einen West- und in einen Ostteil. Die Ausreise aus der DDR erfolgte über den so genannten „Tränenpalast", einen kleinen Pavillon neben dem Bahnhof, welcher unterirdisch mit dem Westteil des Bahnhofs verbunden war. Die Einreise in die DDR erfolgte in der Nähe des U-Bahnsteigs der Westseite und endete im Inneren des Hauptgebäudes auf der Ostseite. An den Ein- und Ausreisepunkten durfte natürlich nicht fotografiert werden, da sie schwer militärisch bewacht waren. Erst 1989 konnten Fotos gemacht werden. Diese hatten für meine Arbeit aber große Nachteile. Zum einen waren zu diesem Zeitpunkt die Zollkontrollanlagen bereits von der DDR ab- oder umgebaut worden und zum anderen gab es keine Fotos innerhalb der Kontrollboxen und nur Bilder vom „Tränenpalast" und der Ausreise aus der DDR. Der Grenzübergang für die Einreise in die DDR, da historisch gesehen nicht so interessant, wurde anscheinend nicht in dem Maße fotografiert. Ich habe in ca. zwei Jahren der Recherche nur ein Bild gefunden, welches auch nur die Westseite des Übergangs zeigt. Ich war also bei der Darstellung der Einreise in die DDR allein auf meine Erinnerung beschränkt. Mir wurde aber von vielen Leuten bestätigt, dass ich die Enge und Düsterkeit, an die ich mich erinnere, treffend wiedergegeben habe. Tatsächlich war der Ort aber hell ausgeleuchtet. Aber vielleicht ist die Fiktion manchmal näher an der Realität, als die Realität selbst.

COMIC!: Den Hinweis auf deine Recherchen finde ich sehr interessant. Wie bist du vorgegangen? Hast du dich wie ein Historiker in Archiven eingegraben und Berge Fachliteratur gewälzt?

Simon Schwartz: Teilweise. Vieles sind ja familiäre Fakten und vieles wusste ich auch schon. Ich bin ja mit dem Thema groß geworden. Meine Recherche lief also quasi schon seit ca. 27 Jahren. Aber manche

Sachen musste ich natürlich genau recherchieren. Oft waren es, wie im Fall des Grenzübergangs, Örtlichkeiten. Was oft schwer war, weil sich die Dinge speziell in Berlin und den neuen Bundesländern so stark verändert haben. Manches musste ich aber auch genau in Bibliotheken raussuchen. Den exakten Wortlaut der KSZE-Schlussakte weiß man halt nicht aus dem Kopf. Da es ja meine Diplomarbeit war, musste ich natürlich auch für meinen Theorieteil viel recherchieren. Kunst in der DDR, Alltagskultur usw.

COMIC!: Wie haben deine Eltern auf den Comic reagiert? Wie hat ihnen die Darstellung ihrer selbst gefallen?

SIMON SCHWARTZ: Zunächst war es für meine Eltern, denke ich, etwas seltsam, sich so in einem Comic zu sehen. Speziell in den Szenen, die sie mir nur erzählt haben. Natürlich habe ich versucht, das Erzählte so exakt wie möglich umzusetzen, aber es wird nie so sein, wie es war. Es ist ja eine künstlerische Übertragung der Realität. Aber sie mögen das Buch sehr und sind sehr stolz darauf.

COMIC!: Wie bist du denn bei der zeichnerischen Gestaltung deiner Eltern und Großeltern vorge-

gangen? Hast du dir alte Fotos von ihnen besorgt und Kleidung, Frisur, Gesicht etc. möglichst realitätsgetreu übernommen?

SIMON SCHWARTZ: Ich habe natürlich viele Fotos als Vorlagen gehabt und mich an diesen orientiert. Aber die Figuren sind schon zeichnerisch abstrahiert. Ich glaube nicht, dass man die Personen auf der Straße sofort wiedererkennen würde. Das war aber auch nicht meine Absicht. Das hat zum Teil auch mit der Privatsphäre zu tun. Es tauchen z. B. auch keine Namen im Buch auf.

COMIC!: Der Comic ist geprägt von einer komplexen Zeitstruktur, die Handlung wechselt zwischen verschiedenen Lebensabschnitten deiner Eltern hin und her und auch das Kennenlernen deiner Großeltern wird mit einbezogen. Was war der Grund für diese chronologische Anordnung?

SIMON SCHWARTZ: Die Idee kam mir nach einem Gespräch mit dem israelischen Zeichner Yirmi Pinkus. Es ist einfach eine spannendere Erzählform, als das übliche ABC. Und es fühlte sich für mich absolut natürlich an, so zu schreiben.

COMIC!: Jetzt hast du mit „drüben!" den ICOM-

frühe Skizzen und Figurenentwürfe, 2008

Preis für das „Beste Szenario" erhalten, beim Deutschen Jugendliteraturpreis ist dein Comic als Sachbuch nominiert. Die ICOM-Jury hat also deine erzählerischen Fähigkeiten betont, wohingegen die Jury des Jugendliteraturpreises die historische Dimension für beachtenswert hält. Wo siehst du selber den Schwerpunkt von „drüben!"?

SIMON SCHWARTZ: Das kann ich schwer sagen. Zwar ist das Politische ja auch immer im Privaten zu finden, aber für mich ist das keine politisch-historische Erzählung. Es ist eine Familiengeschichte, welche von den politischen Gegebenheiten maßgeblich beeinflusst wurde, aber nicht nur. Es geht auch um familiäre Ängste und die Unfähigkeit, miteinander zu reden.

COMIC!: Seit der Veröffentlichung von „drüben!" entstand ja, auch im Zusammenhang mit dem Mauerfall-Jubiläum, ein regelrechter Medienrummel um dich. Wie geht es dir damit und auch mit den Nominierungen?

SIMON SCHWARTZ: Zum einen hat es mich natürlich unglaublich gefreut. Ich hätte niemals mit soviel positiver Resonanz gerechnet. Aber tatsächlich irritiert mich das alles noch immer sehr. Es hat etwas sehr Surreales, wenn man als Comiczeichner vom Bahnhof mit einer Limousine zu einer Ausstellung und Lesung in der Mainzer Staatskanzlei abgeholt wird. Auch diese Unmenge an Presse hat mich überrascht. Ich hoffe, dass ich das bald mit etwas Abstand noch einmal in Ruhe Revue passieren lassen kann. Im Moment ist das doch sehr verwirrend und etwas zu viel.

COMIC!: Dein aktueller Schaffenskreis ist recht weit: Du hast dich an verschiedenartigen Publikationen beteiligt, bist generell viel als Illustrator tätig. Lebst du damit schon das, was du dir für dein (berufliches) Leben zu früheren Zeiten vorgestellt hast?

SIMON SCHWARTZ: Absolut. Wenn ich mal über meine berufliche Situation jammern sollte, dann auf hohem Niveau. Aber mir ist natürlich schon sehr wohl bewußt, daß ich im Gegensatz zu vielen an-

verworfenes Cover, 2009

deren Illustratoren in meinem Alter sehr mit Glück gesegnet bin.

COMIC!: Vielen Dank für deine Zeit und alles Gute!

Herzlichen Dank an Britta Keutgen, Felix Giesa und Burkhard Ihme für die freundliche Genehmigung zum Abdruck dieses Interviewauszugs.

Lesen Sie das komplette Interview im „COMIC!-Jahrbuch 2011" Interessenverband Comic e.V. ICOM ISBN 978-3-88834-941-6

Kubus der friedlichen Revolution

Für die *Gedenk- und Bildungsstätte Andreasstraße* in der ehemaligen Stasi-Zentrale in Erfurt gestaltete Simon Schwartz 2012 zusammen mit der Potsdamer Agentur Freybeuter einen 7 x 40 Meter großen Bildfries, der den Neubau eines Glaskubus umschließt.

Eine Auswahl aus über hundert historischen Fotos von Ereignissen der friedlichen Revolution im Herbst 1989 in Thüringen bildete die Grundlage für Schwartz' Bildzyklus.

Die offizielle Einweihung der Gedenkstätte und des Kubus fand am 3. Dezember 2012 statt.

Gedenk- und Bildungsstätte Andreasstraße
Andreasstraße 37a
99084 Erfurt

Die beiden folgenden Kurzgeschichten entstanden für das Magazin „Cicero", 2010 und für die „Taz", 2009.

Meine Einschulung im August 1989 in Berlin-Neukölln, war für mich in vielerlei Hinsicht etwas Besonderes.

Hauptsächlich jedoch, weil auch meine Oma aus der DDR kommen konnte.

Die Schule selbst konnte mich hingegen nicht sonderlich begeistern.

Schrecklich waren das frühe Aufstehen und die damit einhergehende Erkenntnis.

> Was, ich muss morgen schon wieder dorthin?!

Meine Eltern brachten es kaum übers Herz, mir zu sagen, dass mir dies in den nächsten, möglicherweise dreizehn Jahren nicht erspart bleiben wird.

Sie waren mit mir fünf Jahre zuvor aus der DDR ausgereist und verfolgten gespannt die politische Entwicklung dort.

> Ach, es dauert bestimmt nur noch zehn Jahre, bis die den ganzen Laden auflösen müssen.

Mein Vater ahnte nicht, dass am selben Abend ein anderer Mann eine weit bedeutungsvollere Fristbewertung vornahm.

> Das tritt nach meiner Kenntnis ... ist das sofort, unverzüglich.

Als sich die ersten Menschen an der Bornholmer Straße weinend in die Arme fielen, lagen wir ahnungslos schon im Bett.

Mir grauste derweil vor dem kommenden Schultag.

Riiinngg

Es war ein guter Freund meiner Eltern.

> DIE MAUER IST AUF! DIE MAUER IST AUF!

> Macht den Fernseher an! Los schnell! Das ist der Wahnsinn! Macht schon!

> Simon, wach auf! Die Mauer ist auf! Ist das nicht unglaublich?!

Mich hätte in diesem Moment nichts weniger interessieren können. Ich wollte einfach nur schlafen.

Ich konnte ja nicht wissen, dass ich am nächsten Tag schulfrei haben würde.

Ende.

wir sind(...)heute

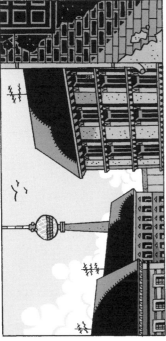

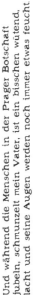
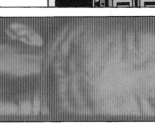
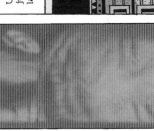

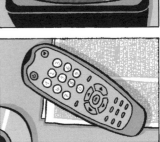

Ende.

verworfene Zeichnung, 2008

Simon Schwartz geboren 1982, ist einer der bekanntesten deutschen Comickünstler. Er debütierte 2009 mit *drüben!*, der berührenden Graphic Novel über die Ausreise seiner Eltern aus der DDR.

Seine zweite große Arbeit *Packeis* über den afroamerikanischen Seemann und Nordpol-Entdecker Matthew Henson wurde von der Kritik begeistert aufgenommen und u. a. 2012 mit dem Max und Moritz-Preis als „Bester deutschsprachiger Comic" ausgezeichnet.

2014 erschien mit *Vita Obscura* ein Sammelband von Schwartz' gleichnamigen Comicstrip aus der Wochenzeitung *der Freitag*, in der er auf mannigfaltige Weise skurrile Lebensläufe und Biografien illustrierte.

In den Jahren 2017 und 2019 ehrte der Deutsche Bundestag Simon Schwartz mit der Einzelausstellung *Das Parlament* in der Abgeordnetenlobby des Reichstagsgebäudes. Das gleichnamige Buch mit Comic-Biografien unbekannter deutscher Parlamentarier*innen erschien parallel im avant-verlag.

Ferner erscheinen Schwartz' Comics und Illustrationen regelmäßig in diversen Zeitungen und Magazinen, u. a. *Frankfurter Allgemeine Sonntagszeitung*, *der Freitag*, *GEOlino* und *Die Zeit*.

Er lebt und arbeitet in Hamburg.

www.simon-schwartz.com

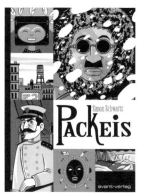

Packeis

Wer war Matthew Henson?

Als erster Mensch erreichte er 1909 den Nordpol und wurde Teil der Sagen-welt der Inuit, als der Mann, der den Teufel besiegte. Doch der verdiente Ruhm blieb ihm verwehrt – denn Matthew Henson war Afroamerikaner.

In *Packeis* erzählt Simon Schwartz die wahre Geschichte des unbekannten Polarforschers Matthew Henson. Auf bewegende Weise berichtet er vom Pioniergeist, Scheitern und Vergessenwerden eines großen Mannes. Ein Abenteuer voller Mystik, Wahnsinn und tiefer Tragik.

„Packeis ist ein Glücksfall. Ein großer Schritt für den deutschen Comic!"
Frankfurter Allgemeine Zeitung

Packeis
ISBN: 978-3-939080-52-7
Softcover, 176 Seiten
19,95 Euro

Das Parlament – 45 Leben für die Demokratie

In *Das Parlament* spürt Simon Schwartz den Lebenslinien jener Menschen nach, die als gewählte Abgeordnete in Deutschen Parlamenten saßen. Anhand der oft wechselvollen Biografien von mehr als 40 Politikern und Politikerin-nen, vom Parlament der Paulskirche im Jahre 1848 bis zur Wiedervereinigung 1990, erzählt *Das Parlament* von den schweren Auseinandersetzungen und Kämpfen, die nicht nur über die deutsche Geschichte, sondern auch persön-liche Schicksale entschieden.
Darunter befinden sich der Mediziner Rudolf Virchow, die Frauenrechtlerin Clara Zetkin, der Revolutionär Robert Blum, der Postkartenmaler Otto Rühle oder Elisabeth Selbert – eine der „Mütter des Grundgesetzes".

„Kaum jemand sonst könnte geeigneter als Schwartz sein, deutsche Parlamentarier in einzelnen Bildgeschichten zu würdigen. Das Parlament ist große Bild-Erzählkunst."
Frankfurter Allgemeine Zeitung

Das Parlament
ISBN: 978-3-96445-006-7
Hardcover, 104 Seiten
22,00 Euro

Vita Obscura

In *Vita Obscura* widmet sich Simon Schwartz dreiunddreißig unbekannten, exzentrischen, aber doch stets wahren Biografien: Dem Leser begegnen u.a. der Landstreicher und einzige Kaiser der USA, Joshua Norton, die diversen Doppelgänger des Sohnes Iwan des Schrecklichen, das blinde Musikgenie Moondog sowie das schreckliche Monster Pulgasari. Und wer hat das Gehirn von Albert Einstein entwendet?

„In Vita Obscura öffnet sich eine ganze knallbunte Wunderkiste. Schlicht märchenhaft."
Die Zeit

Vita Obscura
ISBN: 978-3-939080-94-7
Hardcover, 72 Seiten
19,95 Euro